Arthur
et son nouvel ami

Texte : Sylvie Fournout
Illustrations : Ewen Blain

Deux niveaux de lecture

Lire des phrases → et les phrases en gros caractères : enfant lecteur
Lire un texte : lecteur confirmé ou adulte

Cet ouvrage est conforme à la nouvelle orthographe
www.orthographe-recommandee.info

➡ *Paul le fauconnier crie après un faucon.*

I
Le petit faucon

La journée, Arthur travaille à la cuisine du roi. Il est responsable des légumes à peler. Et le soir, **il rentre chez ses parents, dans la forêt.**

Un matin, Arthur enfile son tablier lorsqu'un cri retentit. Cela vient de dehors. Arthur se penche à la fenêtre. C'est Paul, le fauconnier. Il crie après un jeune rapace qu'il essaie de dresser.

– Recommence, hurle Paul avant de placer un petit bout de viande sur son poing. Viens chercher !

L'oiseau s'élance et fait un grand tour pour revenir
vers le poing de Paul. Raté !

– Tu n'es bon à rien ! s'énerve Paul.

Arthur est si en colère contre le fauconnier
qu'il n'entend pas la cuisinière entrer.

– Et les carottes ?! s'écrie la cuisinière.

Arthur sursaute.

– Mon Dieu, les carottes, je les ai complètement oubliées !

Vite, il attrape le panier et il fonce au jardin. Vite, vite, il arrache deux rangées de carottes.

Cinq minutes plus tard, Arthur retraverse la basse-cour en criant :

– Place ! Laissez passer les carottes du roi !

En moins de cinq minutes, il est de retour à la cuisine.

– Et les salades, tu as rapporté les salades ?

– Que je suis bête, dit Arthur en se frappant le front.
Je les ai complètement oubliées !

Vite, il attrape le panier et repart dans le jardin.
Il arrive au carré de salades. Là, il découvre,
caché sous une salade, le petit faucon de Paul.
L'animal a une aile cassée. Sur son dos,
il a une petite étoile blanche.
– Pauvre petit animal, murmure Arthur.

➡️ *Arthur cache le petit faucon.*

Au même moment, Paul surgit dans l'allée du jardin.

Il est très en colère. Ses yeux noirs lancent des éclairs. Sa voix gronde.

– Je cherche ce maudit faucon ! Si je le retrouve, je lui coupe une aile !

Arthur s'écrie :

– Un oiseau est fait pour voler libre dans le ciel !

– Tais-toi, répond Paul. Tu n'y connais rien !

Et le fauconnier disparait en bougonnant.

Arthur cache le petit faucon dans son panier.

➡️ *Arthur coupe une tranche de rôti pour son ami le faucon.*

II
De vrais amis

Arthur monte dans le grenier. C'est un endroit isolé. Le fauconnier n'y vient jamais. Arthur installe l'oiseau sur un ballot de paille.

Puis il descend dans la cuisine chercher un peu de nourriture.

Sur la table, il trouve un bon rôti.

– Voilà qui tombe bien, se dit Arthur.

Il saisit un grand couteau et coupe une belle tranche.

Arthur s'applique et il n'entend pas la cuisinière entrer.

– Que fais-tu à mon rôti ? s'écrie-t-elle.

– Eh bien, je… je vérifie qu'il est cuit à point, bredouille Arthur.

– Taratata, laisse ce rôti ! Ce n'est pas pour toi.

Et elle chasse Arthur. Au passage, il emporte une feuille de salade et un morceau de pain.

Arthur remonte au grenier. Le petit faucon l'attend.

– Ce midi, au menu : miettes de pain sur un lit de salade !

lui annonce Arthur.

Le faucon mange puis s'endort, épuisé. Arthur lui murmure :

– Je vais te soigner et te garder. Je connais tous les gestes

pour t'apprendre à virevolter, à tomber en piqué…

À partir de maintenant, je suis ton fauconnier.

Le soir, Arthur emporte le petit faucon chez lui.
Il le cache sous les salades, dans son panier.
Il n'a pas envie que le méchant fauconnier découvre
le pauvre animal ! Il lui donne un nom : Volo.

➡️ *Arthur cache le petit faucon et lui donne un nom : Volo.*

Les jours passent. Arthur s'occupe bien de Volo.
Il le nourrit, le caresse et lui parle.
Très vite, Volo guérit.
Dans la forêt, Arthur lui apprend à virevolter. Il lui lance un morceau de viande. Le faucon l'attrape et revient se percher
sur l'épaule d'Arthur.
– Bravo ! Tu as réussi.

Le jour, l'oiseau joue dans la forêt.
La nuit, il rentre chez Arthur. Ils font des exercices de dressage.
Puis Arthur et Volo s'endorment côte à côte.
Ils sont devenus de vrais amis.

Pourtant, un soir, Volo ne rentre pas.

→ *Arthur et Volo sont devenus de vrais amis.*

➡️ *Paul le fauconnier entre. Tout le monde applaudit.*

III
La fuite

Les jours passent. Arthur est sans nouvelles de son ami. Il est très triste.

Un jour, le roi organise un grand banquet. Il y a beaucoup d'invités.

Arthur pèle des légumes, des tonnes et des tonnes de légumes…

Dans le pré, les serviteurs installent de grandes tables. Le roi, la reine et les invités sont assis. On entend un roulement de tambour.

Le spectacle commence. **Paul le fauconnier entre.** Sur son bras, un aigle doré agite ses grandes ailes.

– Oh ! Ah ! font les spectateurs.

L'oiseau s'élance. Il effectue de magnifiques tours dans le ciel. **Tout le monde applaudit.**

Tout à coup, Arthur entend un cri, un cri qu'il reconnait. Cela vient de la volière. Personne n'a le droit d'y aller, mais c'est plus fort que lui. Arthur pousse la porte de la volière. Dans un coin, une cage est posée. Elle est recouverte d'un épais tissu. Arthur soulève le tissu et découvre Volo enfermé.

– Volo ! s'écrie-t-il, fou de joie. Je te retrouve enfin !

Puis la colère succède à la joie dans le cœur d'Arthur quand il comprend que son oiseau est prisonnier !

– Ça ne peut pas se passer comme ça ! s'écrie-t-il.

Il saisit une pierre et frappe la serrure de toutes ses forces.

La cage s'ouvre. Volo s'élance, heureux de déployer ses ailes.

Le fauconnier arrive à ce moment-là et s'écrie :
– Gardes, arrêtez ce voleur ! Il vole le faucon du roi !

Arthur s'enfuit avec Volo. Il court aussi vite qu'il peut, droit devant lui. Mais les gardes ferment les lourdes portes du château.

– Ah ah ! s'exclame le chef des gardes. Le voleur ne peut plus nous échapper !

Arthur entend les gardes courir derrière lui.

Il s'engouffre dans un couloir, traverse la cuisine, tourne à gauche, à droite, puis prend un escalier.

Il arrive devant une petite porte fermée.

– Nous sommes coincés ! s'écrie-t-il.

C'est alors que la petite porte s'ouvre.

– Par ici, lui chuchote-t-on.

IV
Sauvés !

La porte se referme derrière Arthur.

– Où suis-je ? demande le garçon.

– Tu es dans mon atelier, répond une petite fille. Tu ne risques plus rien. Personne ne vient jamais ici.

– Ouf, soupire Arthur. Merci. Comment t'appelles-tu ?

– Caroline. Et toi ?

– Arthur.

– Tu es fauconnier ? demande Caroline en montrant Volo du doigt.

Arthur éclate de rire.

– Pas encore. On est cuisiniers dans la famille, de père en fils.

– C'est comme moi, soupire Caroline, je veux devenir peintre. Mais chez nous, on est reine de mère en fille.

Arthur sursaute.

– Mais… alors… tu es… vous êtes…

– Je suis la fille du roi.

Arthur ne sait plus quoi dire. Il rougit jusqu'aux oreilles.
Il fait une sorte de révérence et dit :

– Majesté, nous ne voulons pas vous déranger plus longtemps.

Caroline éclate de rire.

– Est-ce que tu as une idée pour sortir du château
sans être attrapé ?

Arthur secoue la tête.

– Moi, j'en ai une ! dit Caroline.

Elle ouvre un grand placard et en sort
une de ses robes.

– Enfile ça, dit-elle à Arthur.

– Mais, je ne suis pas une fille !

– Non, mais comme les gardes cherchent un voleur,
ils ne vont pas faire attention à une petite fille bien habillée.

Et toi, petit faucon, viens par là.

Caroline s'approche du faucon. Avec ses pinceaux,
elle le peint tout en noir. Elle met du jaune sur son bec.
Maintenant Volo ressemble à un gros merle.

Quelques instants plus tard, Caroline se présente à la porte
du château. À ses côtés marche une petite demoiselle très bien habillée.
– À demain Arthurette, reviens jouer ici quand tu veux, dit Caroline.
Sous son déguisement de demoiselle, Arthur sourit. Il s'en va
tranquillement retrouver ses parents dans la forêt.
Volo fait un merle très convenable, si on oublie son bec crochu !

La fauconnerie

© G. Rolle / REA

Au Moyen Âge, la **chasse** se pratiquait souvent avec des **rapaces** (faucon, épervier, aigle…).
Ces oiseaux ont un bec acéré et des serres puissantes.
En vol, le rapace repère sa proie, pique sur elle et la tue. Les rapaces chassent les lièvres, les canards, les renards…

au Moyen Âge

des rapaces

le capuchon

les serres

© J. Hernandez / age footstock

Le **capuchon** est enlevé
de la tête de l'oiseau
au moment où il va partir
chasser sa proie.

© G. Rolle / REA

Le fauconnier porte
un gant épais en cuir
pour se protéger des **serres**
puissantes du rapace.

Le dictionnaire

chasser : verbe.

1. Chasser, c'est poursuivre des animaux pour les attraper ou les tuer.
Les chasseurs partent tôt pour chasser le sanglier.

2. Chasser, c'est faire partir quelqu'un ou quelque chose.
*La cuisinière chasse Arthur de sa cuisine.

déranger : verbe.

1. Déranger, c'est déplacer d'un emplacement prévu : **déplacer, désorganiser.**
Les jeunes enfants ont dérangé les livres de la bibliothèque.

2. Déranger, c'est gêner une personne en train de faire quelque chose : **distraire, ennuyer.**
*Arthur ne veut pas déranger la princesse plus longtemps.

dresser : verbe.

1. Dresser, c'est mettre quelque chose tout droit.
Le cheval inquiet dresse ses oreilles.

© D. Cathelin

2. Dresser un animal, c'est lui apprendre à obéir.
*Arthur dresse le petit faucon.